VINGTIÈMES SIÈCLES

ƒ Les Écrits des Forges ont été cofondés par Gatien Lapointe en 1971 avec la collaboration de l'Université du Québec à Trois-Rivières.

Pour la publication de ses livres et pour conduire les poètes québécois à « ... *parler sur la place du monde* », l'éditeur Écrits des Forges bénéficie de l'appui financier du Conseil des Arts du Canada, de la Société de développement des entreprises culturelles du Québec (gestion SODEC) et du ministère du Patrimoine canadien (PADIÉ).

Illustration : Jean-Marc Desgent

Photographie de l'auteur : Mario Bergeron

Distribution au Québec

En librairie :
Diffusion Prologue
1650, boul. Lionel Bertrand, Boisbriand, J7E 4H4
Téléphone : 1-514-434-0306 / 1-800-363-2864
Télécopieur : 1-514-434-2627 / 1-800-361-8088
Courrier électronique : prologue@prologue.ca

Écrits des Forges : www.ecritsdesforges.com

Distribution en Europe

Écrits des Forges
6, avenue Édouard Vaillant
93500, Pantin, France
Téléphone : 01 49 42 99 11 — Télécopieur : 01 49 42 99 68
courrier électronique : ecrits.desforges@tr.cgocable.ca
site internet : www.ecritsdesforges.com

ISBN
Écrits des Forges : 2-89046-910-7

Dépôt légal / Premier trimestre 2005 et dernier trimestre 2005
BNQ ET BNC

JEAN-MARC DESGENT

VINGTIÈMES SIÈCLES

Écrits des Forges
C.P. 335, Trois-Rivières, Québec, Canada G9A 5G4

*À tous ceux qui mentent, qui aiment donc, et qui donnent,
à mon siècle qui n'a trahi que ceux qui aiment, qui ont donné
et qui se donnent.*

JOSEPH LAME

**Elle fait la valise qui crève,
le sac kaki des chevaliers de l'incarnation.**

J'aime une femme et tous ses habitants : hordes de béquilles, garnisons d'estropiés, troupes de la guenille, promeneurs, fillettes tout en cadavre de mon cœur, soldats d'abandon. Ils sont des milliards, cette femme habitée.

Le soleil s'avance avec mouchoirs, boucles et petits cœurs (c'est emballé, c'est tout cadeau, c'est moi rapide de corps, c'est la bouche d'ombre qui dit ça), je suis regardé passer, je suis sorti du ciel (à toutes les fois que j'entre, je suis sorti). C'est chaude rue, vaste lumière, je vais jusqu'aux corps nombreux, je suis dedans ou sur l'âme de la langue déliée.

2

Il y a l'être assis en attendant, il y a l'homme comme moi, un paquet vide sur la table, un petit désastre toujours, ça donne l'imagination de la peau, de la cendre qui s'envole, j'ai le sourire, j'ai le grand noir. Quand on me voit, c'est pour longtemps. Je peux encore me permettre d'arriver.

J'observe l'être céleste. Elle a des façons qui me laissent là. Je deviens l'opacité de ses lèvres, pas celles touchées par la colère, mais par la haine, elle est la brûlure, rien d'autre, pas de vapeur, pas d'idées. Elle n'a pas encore l'obscénité de savoir.

J'ai les naïvetés de quelques mots jetés. J'ai l'entité des beaux muscles, la perfection des adolescents quand les adolescents sont très lents dans la rue.

Mais, je deviens ma propre laideur, j'ai les débris qui me tombent sur les épaules. Mon état guerrier n'est plus le bienvenu, mes caresses ne font plus saliver, je n'ai pas assez d'anges. Aussi, j'ai les lieux clos, des portails de baisers donnés, pas donnés.

Il faut voir l'oiseau, la personne, la fleur, un détail du sexe, tout le désir de la cheville qu'une fumée bleue dessine, tout ensemble, en montant, en tournant. Elle est l'offrande de la guerre qui est la chose la plus vraie du monde.

3

Je suis cœurs qui mangent, j'ai fait de la folie, de la prison (six mois... c'est la cellule, six mois... c'est trop court pour quelqu'un). J'ai donné ma vie, j'ai donné tout, j'ai eu des extases, j'ai fabriqué des explosifs : bruit des corps qui frappent le sol, qui vont au ciel, tout commence par être très chair, puis très clair, puis vengeances et fragmentations, puis c'est dormant, mourant. J'ai ressenti le sang qui vibre, j'ai aimé la pensée, sorte de falaise d'où l'on tombe. C'est beaucoup de rêves, de singularités pour rien. Ça craint. Ça coule. Ça va me quitter. Ça étouffe le feu qui m'est sorti de la tête.

4

Je dis le malheur des pieds traînés, des cuisses touchées, je dis l'abîme, la fissure de l'univers sur un pubis. Brûlez les entrepôts, brûlez tous ceux qu'on aime, l'avenir sera encore le pire des hivers et on ne pourra plus rien confier aux filles blanches comme des draps. Je suis moi-même un inconnu. Je règle la question de l'être, de la Terre, je cherche la grande finale, le cataclysme, parce que c'est trop de vivants, beaucoup trop.

Le vent roule roule dans le crâne indéfiniment.
Je suis ventre avec poings intérieurs.
Encore, j'ai les crampes jusqu'au ciel.

Puis, j'ai moins d'âme, moins peur. Je n'ai pas menti aux petites, aux petits. C'est moi qui brûle leurs fins tissus, qui ferme les yeux, qui ouvre leur sang, eux toujours devant les feux. C'est répété, c'est répandu, moi avec elles, avec eux, c'est l'humilité.

* * *

Moi avec pas de cigarettes, mais en pleine lumière (je suis si désinvolte quand le soleil est amoureux), moi… c'est trop la cause nationale, c'est trop cœur, c'est trop l'amour, c'est moi ou c'est personne ajouté à la maladie dans les grands lits. Ça crie dans les pays qui ne valent plus rien.

J'ai cru rêver nécessairement au grand vent, mots et pure santé.

Moi-même qui brûle, j'ai la pharmacologie avec vitesse dans le crâne, vite, vite et un épuisé s'envole, je me vois rêver à trois corps qui ne m'en feraient qu'un seul, le froid s'ouvre, la fenêtre donne sur la main qui tremble, crâne, c'est plus ou moins blanc, crâne, c'est le vent qui est immense. Je suis poursuivi par la divine, vite, vite et un épuisé s'envole, j'ai la divine avec attributs masculins à peu près, j'ai la figure de l'étrangère avec vieilles choses mâles, ma tête mortifiée roule sur un trottoir et s'avère juste, je suis sans consolations solaires. J'ai le corps qui rend malade, c'est quasiment la vérité et le vertige. J'ai la peur, le trou dans les yeux qu'on voit tout de suite, je suis tout terrestre, j'ai la maladie de la Terre, j'ai l'amour habité qui est des routes d'effondrements, plein jour, plein air et grands poumons.

2

J'ai le cheval couronné, sanglé, enfoncé dans le thorax du monde, tout autour, j'ai mes enfants qui sont des cris rouges, des plongeons, des remous (les petits sont si transparents qu'ils embaument), et qu'on apporte à l'acier, qui donnent leur sang dans d'étroites bouteilles graduées. Mille sur mille, crimes sur crimes, les fillettes, les bouts de tissus (suaires ouverts, suaires pour suaires, sueurs et baisers, baisers et suaires), mille de mille, les garçonnets avec papier mâché pour faire des têtes. Donc, j'ai les terrifiés du réel, les dents cassées sur le pare-chocs des bus, j'ai les réels couchés dans les rues de Medellin, qui est en Colombie, avec les archanges de l'apocalypse. C'est... *no armas* avec les enveloppes noires et si peu d'être dedans.

Je me passe à côté
comme un cadavre qu'on aurait oublié de vider,
de préparer, de célébrer.

Il y a eu l'être incendiaire, j'étais plus jeune et cruel,
on est le cœur démantelé, la machine molle qui fait de
l'amour, l'outil fort qui fait de la pauvreté.

* * *

Moi-même qui meurs et pas de réponse. Moi-même tout
noir et tout doucement tombe, noir et parfaitement
obscur ; il m'arrive de ne pas parler clairement.

* * *

Il n'y avait plus un seul endroit pour passer l'été ; les
arbres couchés faisaient vieux monde, c'était… le vieux
monde. Sans parler des obus abandonnés dans chaque
village des amours, l'été, plusieurs sont morts entre mai
et septembre, on fait souvent cette erreur.

**J'ai cultivé la peur,
maintenant je m'en vais par le chemin court :
les routes vont grimper et ce sera l'épuisement.**

Peu après, j'ai découvert un charnier, j'en ai parlé à mon supérieur. Des charniers, c'est presque partout maintenant, ça ne prend pas beaucoup de flair, on creuse ou on pique, et voilà la carcasse, un pied et son bas bleu, le coude droit, vertical par miracle, loin les têtes avaient les lèvres mangées comme il se doit. Je suis quelques visages et je dérange les cœurs de poche.

C'est dans le siècle, c'est le Grand Œuvre, poussière, retour à la poussière, c'est… rien à sauver dans ces draps de la misère, c'était… on regarde, c'était… on se regarde. La lumière tombait dans un petit village qui était un beau décor estival. Le vent passait dans les jeunes gens couchés. Les robes bougeaient.

2

Il y avait des corps qu'on calculait à l'envers parce qu'ils étaient retournés dans leur propre crâne, on reculait son cœur qui voulait voir comment il sera, quand il deviendra cœur sans cœur.

J'avais le grand manteau, et j'avais plus que la vie, j'avais la guerre et les camps. Il faut toujours répandre le sang ; au moins ce théâtre sera vrai. Défaire les draps pliés ou recompter les corps étagés. C'est la cérémonie pour trop de vivants. On ouvre les suaires, je mets un piano mécanique dans la fosse ; voici mon amour, voici le marécage. Je n'avais plus mal, il y avait là-dedans une exactitude du réel : c'était la mémoire du détruit, la face du sacrifié.

3

Ça allait prendre des ballots, des silos de linceuls, des champs, des plaines de linceuls, des montagnes de montagnes de linceuls, j'étais plusieurs étourdissements, j'ai pensé au soleil dans son trou de ciel, c'était comme un lit avec deux sillons ou deux gouffres. La personne est surtout un abîme.

C'est la certitude du siècle qui n'est pas de l'autre côté du monde.

4

On a construit un pont en bois verni, beaux clous dorés, belles vis platinées. Le genre humain y avançait lentement, c'était avec la théologie du vide. C'était miraculeux ce qu'on disait des choses dans le charnier : la petite aux fesses rebondies a encore ses souliers, ce n'est presque plus une personne, il faudrait repenser la machinerie, le sang des pauvres n'est plus intéressant, il faudrait des pelles, des bras, des mains, il faudrait des masques, surtout. Ça parlait, ça discutait vieux fusils, vieilles peaux avec de la terre, dans la terre.

5

J'étais les désirs de défaire, j'étais la beauté des dépouilles ensemble tordues, enchevêtrées. Il y avait là un œil et ici la tête gauche, il y avait là les mots d'amour entre deux épaules : c'était avec les entrouvertes, pas de chance, c'était dans les jeunes gens et les robes, pas de chance, c'était ce qu'il y avait d'essentiel brûlé par la chaux vive. La chaux d'une nuit d'été, belle étoile, belle étoile et belle étoile, la chaux vive, c'est de la pensée vite, ça consume, c'est un petit miracle.

**Gare de campagne, feu de cheminée,
soldats accroupis, fesses veinées,
je cueille.**

Je suis dans cette ruine, pas de nom (ou le moins possible), pas de tête, j'ai les ruines, toutes les choses sont cassées dans la boîte, j'ai cette situation, j'ai le fou qui ne songe qu'à Saturne, j'ai le cœur à l'extrême droite, trous noirs, nos trous noirs, c'est ce qu'il y a de plus simple avec la guerre.

* * *

Je suis très mauvais (*je* n'est pas
le seul qui avoue)
on a demandé à boire,
on a envoyé le gaz
pour faire le gras à savon.

Transcrire les petites mortes (nougat, épices) ou les petites fortes (beaux bras, beau sang).

J'ai pris les petites, j'ai pris les petits, dans mes bras, par la main. Je les ai voulus, aimés, nourris, endormis dans la vie privée, dans la chambre nuptiale. Quelle nuit passée à nettoyer l'enfer des choses, l'enfer des lits! Je suis l'amoureux et c'est moi qui déchire.

2

Je n'ai plus de lointain à concevoir, j'ai l'être dépassé. Je me suis accompli dans les deux langues. Il y a toujours au moins deux langues, mais une est plus bannie que l'autre, mais une est plus guerrière que dans la tête de mon père. On pense deux fois deux corps de papier. J'ai la parole pendue, terminée. J'ai les gouffres avec rochers détachés des parois, avec mots roulant jusqu'au vide (il fallait entendre le fracas de mon crâne cassant), je n'ai plus une seule parcelle d'âme, je ne suis pas téméraire, j'habite ici, je suis un peuple sans histoires. Le froid a saisi mon pays avec figure sèche ou avec figure énigmatique.

Des êtres inachevés, des peurs inachevées,
des langues inachevées,
des dames allongées sur près d'un kilomètre.

On voit ça, on constate que c'est énergumène,
que c'est très théâtre et les mécaniques du vide,
ça indique qu'on est malade de parler et autre chose du
    genre,
les jours longs, la beauté longue,
on ne ressent plus rien
quand arrêtent les aventures bruyantes ou violentes.

* * *

J'ai des roses que je donne,
je donne tout,
même les solitaires ont des sutures aux mains,
j'ai des bonbons de centre-gauche,
je comprends avec peu,
je suis beaucoup à la fois,
je vois loin et mes bras vont jusque là.

C'est le supplice de l'agneau
vêtu de blanc comme il se doit.
Ce sont les phrases déchirées,
les boîtes bien remplies :
c'est moi la boîte, la première phrase.

Les champs s'étendent blancs, les mots, blancs, les pauvres, blancs linceuls avec l'avenir de moi, dans les champs, glaise et boue, les jeunes militaires dorment dans les vieux linges. Ils ont l'armure. Ils ont couru, voulu, transporté les brancards, il a plu jusque dans la chair, ils ont glissé, ils se sont couchés, ils ont pensé aux sexes de soi dérisoires. Les sexes de soi, c'est du périlleux. Ils ont porté le vêtement qui dit oui, qui attire la foudre dans le casque, ils ont eu les honneurs du patriote : le plaisir est dans la graisse animale.

2

On fait une partie de la guerre, seulement. Un homme porte l'uniforme, la tête appuyée sur son arme qui ne semble pas très confortable, mais chaude. Les officiers au gros cœur regardent un bon rasoir de nuit. Leur joie de la vraie vie est sans limites. Des soldatesques font feu en même temps... Donc, c'est sincère. Des tempêtes de sang chaud dans la bouche pour l'affreux soleil rouge.

3

Après, j'ai ramassé les bagues pour les fiancées, les chaînettes pour l'identité de la personne, les bracelets porte-bonheur avec ma beauté des métaux, j'ai empilé les vestes, les camouflages, les pantalons souillés, j'ai frotté les bottes sans lacets. J'ai quand même changé les draps et fait les lits, j'ai respiré les odeurs, et j'ai, à grande eau, lavé les planchers. J'ai aimé mon travail de bénévole, je me suis roulé dans leurs armes, dans leurs bras de capitaine, de caporal, je suis né le petit enfant.

J'avais une bicyclette, il y a longtemps,
maintenant elle est morte.

Les choses luttent aussi. Je suis cœur d'objets, c'est
l'éther, c'est étourdissant, le visage pas d'ange, mon lieu
difficile, rien à porter, rien à céder, je ne suis pas encore
là, c'est Pseudo-Moi-Même qui chute ; voilà chaque
effondrement, et ça en prend tous les jours une grande
quantité.

* * *

J'ai plusieurs enfants à nourrir,
leurs machines s'activent,
ils sont une traversée,
ils retournent le silence contre lui-même,
c'est beaucoup de boxes inutiles.
Je n'entends pas leur chair périlleuse,
toute ma chair est périlleuse, je suis désolé,
mes mains noires, désolé,
mes langues calcinées, désolé,
je suis devenu en face des tempêtes,
j'ai l'histoire dans le cœur imparfait.

Les astres sont accompagnés d'objets catastrophiques : toute la paix est impossible.

Dans les souvenirs de mon pays, j'ai été un donné, un mal-pensé. Partout, c'est le pantalon kaki en berne : au sud de nos têtes, le grand trou des sexes. Les sexes de soi, c'est de la mélancolie. Pourtant, j'ai été le chœur des anges qui n'ont jamais existé, et qu'on entend chanter surtout le dimanche dans un parc où l'on s'ennuie, qu'on voit partout, à qui l'on donne des sous qu'on gagne honnêtement, plusieurs anges que j'ai froissés au moment où ils allaient apparaître si près de leur corps. J'ai tenté de les faire tenir sur Terre dans une enfance ; ils ont déjà été moins anges et davantage poussières. J'ai provoqué leur chute dans le sang que je vois ou que je dis…

2

Le vent souffle, j'ai le cœur bancal. J'ai été un attentif, un obsédé des literies avec délires des jambes et des bras à la gymnastique difficile.

Très malade maintenant et fréquentations assidues des médecines de brousse, je suis parlé, je suis donné, je suis mal-pensé, et chose niée. Je fais de la raquette, j'arpente la neige, je tire à la carabine ; ça claque, je suis un bruit dans l'immense forêt. Je ne suis pas un ouvrage facile, je fais du labyrinthe, des cercles, des spirales, je rêve aux rails disloqués, je suis l'anatomie amincie avec armes et bagages, territoire sans territoire, terre de roches et terre de souches jamais arrachées ; ça mange l'esprit dans les pays qui ne valent plus rien, ça fait une langue que je ne parle pas, ça fait le culte du vivant : c'est le danger d'être trop, de penser trop, et d'avoir trop la Sainte face.

Une bille immobile me rappelle un monde par terre, sorte de vérité qui s'inverse au quart de tour.

J'ai l'histoire manquée, je n'ai plus un seul petit morceau de sucre. C'est le noir après, c'est le grand bruit qui va partout, le noir, c'est beaucoup d'anges kaki empêtrés, enlacés. De ce que j'avais à trembler, j'ai tremblé, j'ai brûlé. Moi-même très écolier, j'ai appris tout, j'ai appris le simple, donc la haine, j'ai appris tout, les débarquements, les plages, les noyés, les noyades longues, les conquêtes avec soldats pas de gants, pas de bottes et trop de survivants. Dans ma chemise d'été, on a mis les grands souvenirs : pensons séparément.

Je suis navré, les mains noires,
je suis navré, les champs ouverts,
les corneilles empalées par l'hiver,
les phrases laissées là.

Je ne peux rien dire de léger, ce qui soulagerait chaque
vie. Toute l'eau bleue n'est plus ; on vient prendre de la
pensée jusqu'au fond.

* * *

Les aventures n'arrivent pas, il faut aller les chercher ;
c'est très long, très loin, la plupart du temps très inutile.

* * *

Je suis matériellement des amours. J'aurai bientôt la
chance de converser. Je sais que je suis parfait, du moins
prêt, mais je n'encourage pas au baiser… C'est penser
trop ramassé.

* * *

Il n'y a rien à noter dans le trou des êtres, moi-même.
J'ai le corps gauche. On se dépense sur un seul désir
quand on pourrait avoir des bêtes pour remplacer ou
pour nous vivre. Il faut tout mourir des choses, la vie
errante, après… C'est la boxe de la vraisemblance, c'est
moi la basse besogne de nommer.

Le cancer, la cirrhose, les dieux qui m'ont abandonné.

Il prendra le train de minuit... Il observera les passagers de son wagon... Il fera comme s'il ne craignait pas l'obscurité... Il s'abandonnera à sa peur avec bruit d'une vieille montre... Il ne franchira pas l'urgence de sa propre parole... Des choses qu'on ne dit pas, sur lesquelles on glisse... Des tonnes de cristaux se répandront et un long mur de glace, après... Il tremblera comme des feuilles... Il sera sans repos...

Au même moment, loin de la gare, des rails, de lui, une femme qu'il connaît depuis toujours s'accroupira, bien écartelée (cuisses à tout rompre), cachée au milieu des hautes herbes, à l'orée de la forêt, son arbuste dégoulinera rapidement de toute son urine noire...

Leurs deux corps seront lits de bienfaisance... Ils échoueront leur vie comme anges gardiens...

Leur existence avec petites lumières de nuit (allumer, éteindre, allumer, éteindre) coûte cher aux marcheurs terrestres...

**Inévitable, le clou planté
pour remplacer l'érection.**

J'avais l'enfermement, mes beautés fétiches meurent, j'étais tout cordes, bandelettes, tout lanières. J'avais l'obscur des choses, j'avais l'ombre projetée ou pas de cœur ou trop d'âmes en même temps qui s'abîmaient. Souvent, s'allongent ceux qui n'ont que les os et le voile.

* * *

On laisse passer la fraîche pensée des vents contraires, on est assis devant quelque chose de vague ou dans une certaine nonchalance du paysage et arrive le bien, les cuisses sont vivantes (quand on constate cette vie, on respire le lieu où l'on est), donc les cuisses sont offertes, c'est sûrement dans ce sanctuaire qu'il y a du sang, je suis le sel de cette liqueur, et c'est alors que j'habite certaines constellations : celle du Cheval qui va à midi passer derrière le soleil (Hélas ! Tout ne passe pas derrière le soleil pour disparaître dans une certaine qualité de lumière.) et celle du Chien qui est une bête à deux dos, découverte le jour même de la naissance de notre âme montante.

**Les débris roulent entre deux cuisses,
la vie est battue.**

Il y a des cœurs tombés… comme neige.
Il y a, cassés, des bouches, des bras… comme glace.
Ce sont des mal-pensés.

2

Les ailes de l'avion coupent l'air. On est encore là pour chuter. Le paysage, une dernière fois. Nous sommes des couteaux dans l'espace. Il y a le fantôme des banquises (c'est bleu, c'est blanc, c'est gris, mais avec transparence, c'est bleu, c'est blanc, c'est gris, c'est noir, et ça efface la candeur), il y a ce cristal léché par une lumière sans source.

On naît tout maigre, on devient peu,
on reste là,
des existences à patienter dans le minuit qui dure six
    mois.
Le froid s'ouvre et cette porte nous mène au silence ;
même un battement apeure la vie.
C'est l'asile interdit,
on appuie son existence contre une montagne argentée.

Plus tard, à l'intérieur d'un immense bâtiment où l'écho
    est métallique,
on frappe ses bottes l'une contre l'autre,
et des petits sexes disparaissent sur le champ.

On se prend les mots dans le givre,
on dit givre comme le seul mot,
la langue est cristalline,
on parle fragments restés fragments.

3

On voit des monstres qui peuvent tout avaler, qui font
éclater les pierres, qui sont la blancheur géante, windigo, windigo. On est pris d'une soif et d'une faim sans
fonds, l'âme cherche la chair, la main veut saisir, la lèvre
est encore sans pitié (le plaisir est dans la graisse animale), et si on rencontre l'être, il disparaît. Malgré les
recherches menées avec minutie (instruments moder-
nes, chiens, courage moderne de certains secouristes),
jamais on n'a retrouvé le petit homme qui ne porte pas
à s'aimer.

4

On est cœur tombé
qu'on ne parvient plus à rattraper.
Ce sont plusieurs détruits.
Le vent gifle, la neige,
le traîneau est renversé, la neige,
le ciel n'est plus une échelle, la neige,
la patte est enfoncée, la neige,
on comprend enfin quelque chose de tangible.
On constate ça, les ailes de l'avion…
On dit ça, c'est l'asile interdit…
On comprend ça, fragments restés fragments…
Mais on ne fait pas ça…
C'est soudainement un bruit,
et on n'existe que par lui.

Il y a le tonnerre, une mort, et mon cœur.

J'ai souhaité (même un peu plus) les petites, les petits recherchés, pas les petites aimées, dans leur odeur vie, mort, dans la parfaite maîtrise de leurs jambes. Je les ai attachés d'une corde d'or, je les ai embrassés plusieurs fois.

Je ne vais pas vers le bien, mais vers là-haut
dans le simple et dans le bon.
C'est mon existence brouillonne,
c'est joli, très physique.
Je ne suis pas trompé, j'ai la tête sortie d'ici.

* * *

Un vent tombe (lui aussi), je suis contourné aisément, une comète n'est pas observée, une jeune personne a un défaut majeur, une robe aussi qui a été traînée par terre, dans la terre. Maintenant, elle pourrait bien s'apparenter à une bête qui circule avec rien et qu'on ne reconnaîtrait qu'au numéro.

On amène en secret des femmes mystérieuses
qui n'ont pas de langue,
dans des voitures mystérieuses,
silhouettes nocturnes.

J'apparais juste avant un grand bruit. J'ai vendu les
choses humaines, j'ai vendu tout, les lourdeurs me jet-
tent en ce monde ou dans le coffre. Je suis passé dans les
jeunes personnes sans rien arracher : elles vivent cruci-
fiées. Cependant rien n'est éprouvé, ça reprend vie, ça
reprend mort.

* * *

Les sexes, on sait la misère que ça veut dire,
ça tombe comme du soleil dans les yeux,
avec ce qui n'est pas faux dans les mots.
Avec la langue du ciel, on fait la victime,
on fait la condamnée,
les sexes, pas d'éternité, la pauvreté.
Ce sera le dur travail des années.

Je me retrouverai plus tard,
envahi de manteaux et de bottes.
Pour l'instant, c'est nuage et feu.

J'ai été l'inventeur des cavernes avec ombres (nous, les philosophes, on pleure les portes fermées, les êtres barbelés), lumière diffuse dedans, lumière du vertige, j'ai aussi été l'inventeur des écoles avec odeurs des boiseries vernies à l'encaustique. Ça rappelle les doigts encrés, les bas tombés sur les chevilles. Les petites, les petits, les garçonnets qui deviendront des armes à feu, les fillettes qui en mourront, la tête penchée sur les pupitres, voyant derrière les grandes vitres, la pluie descendre du ciel ou le soleil arriver de la mort, le soleil sortir de la gueule de la nuit, avec ses mâts, toutes ses voiles déployées, départs, bateaux imaginés ou dérivés par Rimbaud, né à Charleville en 1854 et mort à Marseille en 1891 avec un grand corps défenestré.

**C'est singulier, c'est devant,
c'est une fable, c'est trop long.**

À l'heure actuelle, mais depuis longtemps, je suis tête pourrie, c'est-à-dire j'ai tête ordinaire, je vois dedans, je lis dedans, je vis dedans, j'ai toujours tout su d'avance, c'est aussi vrai que n'importe quoi, je vois bien, j'habite le crâne d'un orignal qui monte.

Mon espace physique, la nuit.
La nuit, je deviens insurmontable.

Les fillettes, les garçonnets ont appris rapidement les choses occultes, l'obstacle des événements, les pertes, les choses qu'on ne rejoint plus, les sentences du juge sur la démesure du monde, les habeas corpus qui font qu'ils existent en beauté et en sagesse, les paysages inexplicables de lenteur et le mystère de chacun des commencements.

* * *

La plupart des guerriers n'ont ni lune ni soleil ni récits ni péripéties. Je réponds en marchant jusqu'à mon désir (qui n'est qu'une question de sueur très froide au toucher comme à l'odeur), je réponds en allant jusqu'à la table prendre quelques feuilles, pour donner aux enfants plusieurs formes de contemplations.

Sur la neige dure, je suis habillé en petit écuyer
et sors mon épée partout.

On a un état médical, on fait ciseaux sur la table des
sutures, on fait médecine, on fait réflexions laissées
n'importe où, on ne fait pas lucide (on embrasse seulement), on a la langue des guerres qui ont bien raison, on
est toutes les maladies qui jaillissent des armes folles et
on n'en fuit aucune.

2

Moi avec d'autres, le dimanche, on monte l'escalier
jusqu'à la porte du ciel, on s'agenouille pour les prières
qui s'envoleront jusqu'aux murs, le cœur frappe son
propre mécanisme. On pratique les extractions nécessaires, on fait l'Homme, on a le médicament qui dit bon-
bon.

Il faut l'étage vert pour ceux qui ne connaissent pas les
lieux du dégât, l'étage bleu, c'est le charnier hors terre
comme le domicile conjugal, l'étage jaune avec parfums
et bandelettes, poulies, bassines, machines de sens, l'é-
tage blanc, pour la disparition, le Grand Œuvre avec
l'alchimie des solutés qui remplace l'idée. On ne veut
pas beaucoup la vie des petits, la vérité des petites. On
devient chaque jour, un peu plus de disparitions.

À la fin de la journée, on ferme les portes, on vaporise,
on ne compte même plus les presque pas d'êtres.

On dit ça, on voit ça, mais on ne comprend pas ça : nos
vies, nos gens, nos campagnes, nos contes, nos chansons,
nos danses dans nos vieilles maisons.

3

J'ai un état médical, j'ai quelques minutes devant moi, je suis naturel, je lutte en faveur d'une cause, je me sépare de chaque passion, je me présente devant une femme habitée les mains dans le dos, je suis un projectile brûlant, je ne suis pas beaucoup, je fais quelques miracles, c'est naturel, ça vient avec quelques étoiles dans la poitrine, avec des choses insolites de l'Univers qui est une sorte de jeu de draps souillés par moi.

J'ai l'origine cachée par les yeux des
    ressortissants.
Les hauts-fourneaux font table rase.

Il y a là quelque chose… mais je ne sais pas comment.
Mes êtres inachevés vivent leurs trottoirs ; on se rend vi-
site sexe à sexe, à côté des disparus. On dit que j'ai la
bouche des ombres.

* * *

On fait un séjour dans les bras. Les mamans m'accueil-
lent dans leur appareil de progrès. Les drapeaux, ce sont
un peu ça aussi. J'ai affirmé de l'impalpable. Mon parler
révèle que je ne suis pas ici. Le don de la langue, c'est
moi, mais c'est risqué. C'est à me défaire pour l'en-
durance des trop vivants.

**Le monde des monstres est banal,
et je me repose après ce banquet.**

Je reviendrai avec un grand pouvoir sur les têtes... Je suis trente secondes et les rues désertes, je suis simple dehors et j'avale les blessures. J'ai le chaos dans la fillette qui vit dans ma chambre, qui est mon amie dans la tête, j'ai le chaos de son odeur, j'ai la traversée de sa vie pas longue pour dire des mots très simples.

Tout est chevreuil avec elle.

2

J'ai l'état feu, l'état échafaudage, l'état Terre promise, l'espace du midi avec cuisses vigoureuses, l'espace du midi avec la lumière, c'est la bonté, c'est un joli jour tout complice, je suis le roi des animaux, elle est sportive avec le vélocipède, nous sommes rois de peuples à machettes, abattons, abattus.

La limite du monde est loin, le soleil ne se couchera pas.

3

Nous sommes cinquante à table, trois cents au salon, nous nous retrouvons quelques milliers dans la chambre nuptiale, debout, entassés, collés, au coude à coude, ça fume avec véhémence, on ne tente même pas de faire taire le couple, le gouffre dans le lit.

C'était les ombres et on s'ennuie encore.

Glissando sous la pluie, glissando et fellation de l'arme à feu... C'est ça, l'amour qu'on donne : des pièces de métal, morceaux, fragments du mal qu'on entasse jusqu'à la partie supérieure de la voûte céleste.

C'était... si on se touche, il y a les conséquences, mais on n'a pas caressé.

Je suis très physique, c'est mon ignorance.

Le tissu se bonifie par l'humide, chairs contraintes (ça, c'est affirmé par les amoureux), beautés pantelantes, c'est si mouillé qu'on s'abandonne, c'est tout bien, cette descente.

On parle qu'on est avalé, affamée, la bouche d'ombre, qu'on est bu par la fente, blond rosé ou noir boisé près des cœurs objectifs (mon être s'explique par cette fin, par les draps écroulés dans la chambre avec peuples d'en haut et pauvres vraies vies d'en bas).

Toujours penser, toujours creuser, c'est toujours la tête dans l'orifice, les petites sont si étroites. Deux cuisses qu'on ne peut plus taire, c'est triste aussi.

2

Ça reflète l'âme gantée, ça apparaît comme des rêveries ou des blessures imprévues (âge et misère, ma vie de sœur affolée, ma vie de frère masqué très jeune, mes êtres si proches en papier peint et tentures assorties), je porte le vêtement qui dit : « brûle-moi », qui enveloppe le peu, ma personne est absentée ou la personne est sortie de là.

Je travaille mon ancien jeune corps sous la table, je suis à un centimètre de mon sang, j'ai la pluie qui lave le péché du monde.

3

J'irai rejoindre ce qui tourne là-haut. J'ai l'intelligence séparée du pays, je suis un intermédiaire, je suis comme l'Homme des Ponts, un peu viandes crues, beaucoup bâtons, très beaux enfants, plusieurs festins (ça, c'est dit par quelqu'un haut placé).

4

On constate rapidement que je ne suis pas ici ni d'ici, faim, soif, désir, trou absolu et être la mort propre, faim, soif, désir contre trou sont des visiteurs de têtes inachevées.

Ma chair fait bateau, radeau, épave,
ma chair fait oui, oui,
fait *love you* une dernière fois,
avec algues, odeurs et routes maritimes
(de Rimbaud-Marseille à Marseille-Désert,
de Désert-Mon Pays asséché à l'éternité retrouvée),
algues, odeurs, et routes maritimes
jusqu'aux insolations qui nous aiment,
qui nous révèlent, enfin, quelque chose d'emporté.

**Ailleurs, c'est moi aussi,
mais je n'ai rien oublié.**

Je suis caché avec une chose ou quelqu'un d'autre. On est intarissable, on se creuse, on vit en mannequin la nature. Aucun scrupule. Mes mots sont beaux comme quand la fillette était aux miroirs ou dedans. Sous sa jupette, cousue maison par la maman des Nations, on dit mon nom épouvantable.

2

Aux yeux des mères qui sortent de ma chambre en éteignant la lumière du plafonnier, je suis quelqu'un d'héroïque, j'aurais pu faire du cinéma… On a toujours quelque chose que la caméra peut saisir.

Parce que les mamans s'éloignent, je les suis difficilement du regard par-dessous le noir qui les couvre : le noir, c'est beaucoup de maladies avec mystère, le noir, c'est avec des valises qui me contiennent, qui montent et qui descendent, le noir, c'est un sac laissé à deux pas du charnier… Le sac, c'est quelqu'un qu'on connaît et ça ne nous surprend plus…

Malgré la lumière sur la piscine publique,
les petits soleils seront noyés
et je les comparerai aux photos prises
sur lesquelles on peut admirer des mains, des
    pieds et des torses
sans liens apparents, fraternels ou obligatoires.

Les grands froids, on est corps et être, le front étroit. On dirait ma volonté de détruire : c'est ça une chose qui fait le corps, qui conduit la peau jusqu'aux croix : c'est comme si je disais l'inévitable, l'effondrement. Être beau, c'est être sec ou faire nécessairement obstacle.

* * *

Têtes, têtes comme on dit : je me souviens.
On entend alors les victimes comprendre le nul et
    s'embrasser.
Têtes, têtes comme on dit : je me souviens, petits sangs,
    petits vinaigres.

* * *

Ici, le vertige et ici, touché, blessé,
ici, l'ange ne peut apparaître en oriflamme, qui aurait
    pu être nous,
nous, habituellement, haut, ici on plonge.
Et toutes nos voiles sont d'un noir absolu.

Les beaux capitaines et trop de doigts
en même temps dans la même vulve.

Parcourir la distance.
Franchir les lignes de l'ennemi.
Je reviendrai en objet dur.
Arrêter le véhicule.
Installer les détonateurs.
J'ai l'homme du dépeuplement.
Trop de faux crânes, partout
avec sourires ou avec regards
qui font amers, font mal.
Mon kamikaze est naturel.
Qui fait mal, paie cher sa haine.

2

Et c'est laid dans tous les pays,
c'est fréquent, avec un long corps maigre dans la guerre.
Les tueries sont là, notre simiesque ne dort jamais.
Je regarde l'Homme navré.
On se souvient du disparu moitié, moitié.
Mon arme est là dans son berceau ; le mâle est encore
    étêté.
Un incendie est dans mon vêtement.
Il y a un objet énigmatique sur la colline la plus célèbre
du monde entier.
Je suis de là, plus linguistique que rocailleux.
Je sais à quel point mon image est profonde :
le froid, c'est moi au bord de la route
qui a sa pluie et ses âmes presque physiques,
(animaux dépaysés),

avec pas de queue qui montre le contentement.
Je reviens de la propre mort.
Quand j'aurai envahi la planète, je combinerai
    autrement
mes pieds fourchus et ma tête de cire.

3

Je ne me soigne plus, je suis médicamenté, j'en ai
    l'odeur,
je pense vite aux petites mortes, aux petites fortes,
pipi fait tache, elles ont le gros désir,
les élastiques éventés,
les soies mouillées sont moi, maintenant,
j'ai les matières pour tout mourir,
c'est un parfum, c'est quand même de la poussière,
ça ressemble à ce qui est terminé, peu s'en sortent.
Dans la nuit, moi et quelques autres, on est dans une
    diagonale :
nous allions dire, mais nous n'avons pas dit.
Il est mieux de serrer les lèvres sur elles-mêmes,
de ne rien évacuer de sa criminalité.

Moi, du sol au ciel.
Je ne veux que cette chair, cette voile,
sol jusqu'au ciel.

On voit une jeune épouse – la robe enveloppe le mal, le mal couvre la falaise intérieure, la falaise façonne le destin et le destin cache mes grandes mains sur sa peau – on voit une jeune épouse à quatre pattes; dans cette position, on peut regarder le monde, on invite le monde (la nature est inondée de son parfum âcre). Le dos est cambré – robe, mal, falaise, destin et grandes mains dans la soie d'une certaine âme pour laquelle on possède l'alibi de l'absence – le dos est une pente abrupte, ce qui est un premier oiseau chanteur. Les prairies effacées, la jeune épouse est basculée… Plus rien à marcher, plus rien à arracher, plus rien à désirer, on ouvre la porte et c'est parti. Avec ses yeux révulsés, elle tombe dans sa vie, puis remonte lentement, remonte comme des idées au bord d'un lac, en toutes saisons, pas celle des amours: spirale parfaite des images parlantes de vies suppliciées, traversées de prémonitions, Monsieur rêve qu'il s'en sortira, Madame se couche au cœur des restes à peu près humains, ça attend, ça attend et ça finira par le silence du complice.

2

On voit une jeune épouse et on n'aime que la partie rasée de ce corps-là, comme carcasse de navire qui s'enfonce sans disparaître.

Donc, je me suis acheté une personne pour être davantage Pseudo-Moi-Même qui ne s'émerveille plus, mais suis prêt à partir. Que ce soit vers le haut (l'image de l'univers est sans défauts) ou vers le bas (ridicule espace des non-êtres), jamais, aux corps expéditionnaires (casquettes ou bleus de travail), aux troupes qu'on perd ou aux troupes qu'on forme pour trouer la chair du monde, on interdit la pratique du musclé.

Le non-amour du paisible.
Je suis jeté dans les trois êtres
qui ont un visage qu'on ignore.
Prends, laisse.

Selon moi, je suis transcendant.
Dès qu'on dit, on part à l'aventure,
et je n'aime que l'accident, que le beau bruit du fracas,
que les plis de la tôle qui dessinent quelque chose
    d'intime.

2

D'abord, je nais dans cet imprévu, ensuite je ne suis pas spécifiquement théologique, je suis antérieur, pas vraiment intelligible, mais autoconstitué, loin de la taxinomie des espèces amoureuses. J'illumine quand j'arrive, ça éclaire une portion importante des choses et des hommes qui ne savent pas vivre leurs obscurités successives, j'explique ce pourquoi on chute, les changements brusques de taille ou de forme, les torsions ou grossissements par loupes ou microscopes, je ne souffre presque plus, surtout dans la partie supérieure du corps des autres, je ne sais plus rien d'avant ni en fonction de la langue blessée du père que j'ai eu, que j'ai dit et qui transporte sa propre boîte péniblement.

3

Je suis l'Homme dit du procédé par négations.

Voici la réponse : de même que nos sexes s'amourachent, au péril de leur identité, petits sangs, petits vinaigres, ou se déposent, tels des précieux présents, ou consentent à l'anarchie et à l'effondrement des astres, de même mon cœur mal cousu bouge encore par l'inconstance des réalités inférieures, supérieures ou d'un peu partout.

Pensé, non-humilié, dépossédé, mais non-appauvri,
reçu ou inné, on meurt parfois stupéfié.

Quelqu'un d'impensable exerce sa force jusqu'aux fonds
    des océans,
comprime nos âmes dans la chose terrestre,
pareillement et absolument et dans le plus grand secret
et paradoxalement, nous donne les heureuses brises,
donne tout, agrandi, élevé ou allongé dans le noir.
Quelqu'un qui ne meurt pas tout de suite
demeure le seul à avoir échappé au ciel, d'un coin à
    l'autre
(on a longtemps imaginé que la voûte céleste était, en
    fait, une table renversée, dressée et festive).

2

Quelqu'un dont toutes les parties n'ont pas le même but,
et qui ne se dirigent pas dans la même direction,
et qui appartiennent, bon an mal an, à ce qu'on appelle
    les moteurs du ciel
qu'on entend quand on ne parle pas ici ou d'ici,
est un maître à mourir vite.
C'est dialectique, mais vrai.

J'ai les bras meurtris des autres,
la rue a sa pluie,
et le baiser fait tache.

C'est aussi débris que tout,
têtes vagues de langue française dans l'hypothalamus,
mes années de neige, les machettes
et la journée est passée à taire l'essentiel.

* * *

Les dépouilles parlent,
on a la crevasse féminine,
les sangs de plusieurs mots ; le rire des bouches
(on ne voit jamais jusqu'au fond des cavernes).
Je suis l'amertume qui est l'idée contraire d'être
    nécessaire,
j'ai les doigts vite, plongés dans le coton intime :
peur, la peur d'être et de ne pas embrasser
    suffisamment.

* * *

Moi… c'est le bel éclairage sur l'innommable…
On comprend ce pourquoi on est Pseudo-Soi-Même,
    parler sale, cœur nul.

**Avec quel genre d'être faut-il dormir
pour tout transformer ?**

On voit que je ne guéris pas. J'ai l'esprit seulement.
J'achète de jeunes personnes que je ne défonce pas tout
de suite. Les jeunes personnes, celles qu'on n'a pas sous
la main, dans les draps, celles qui mangent mes lèvres et
qui les démangent, celles qui sont très naturelles, ont
leurs sexes en avant avec une tragédie. Elles ont quelque
chose de beau, de bon, de fatalement bien dans le *jean*
bleuté entre cuisse gauche et cuisse droite. On souffre
moins quand on fait cette pensée.

* * *

J'ai parlé plusieurs langues, amassé des planètes en-
tières. À moi seul, le sens du monde ; il faut beaucoup
tuer pour ça. À moi seul... dont il faut soustraire
quelques étoiles. Certaines sont disparues depuis l'in-
vention des rencontres amoureuses. C'est la méchanceté
qui fait le beau corps.

**L'être sur l'être,
c'est le déploiement des corps.**

On se vide… On pousse un dernier mot sur le paysage : c'est moi, bel oiseau, l'Icare des lieux et la route est ouverte… On se serait cru lors d'une bataille de tranchées dans la langue qu'on n'a jamais bien assimilée… Lames aux poignets à la guerre comme à la guerre : les tueries semblent nécessaires au milieu des événements du monde…

* * *

Les petites, les petits sont souvent des arbres arrachés par la tempête… Pourtant, ils étaient la charité (ils avaient fait de moi le plus beau capitaine mouillant dans les ports les plus ensoleillés du monde, parfums complexes et cigarillos), donc ils étaient de la charité qu'on fait sans penser.

On devient quelque chose qui dort mal, qui est mal ; le corps tient en équilibre fragile par mélancolies fréquentes.

Ce que je dis, je l'ai voulu depuis si longtemps
que ma mère abstraite ou pas ne se souvient plus
de rien.

Je quitte, c'est quand même le siècle qui dort, pas moi,
les entités sont désaxées, c'est le chaos qu'on voit dans
les yeux, ça va hors de ma volonté et je deviens imper-
sonnel, j'ai la nuit et je retourne à l'image de l'être.

* * *

Les nudités... c'est compliqué, les têtes mortifiées...
c'est compliqué. Un garçonnet est allongé dans sa défini-
tive légèreté. Son petit sexe est bien joli, même abattu...
C'est presque moi que je vois sexe à sexe. On nous
déplie les suaires qui ne sont pas vierges ; c'est impro-
visé, c'est tout cadeau, c'est le trou.

* * *

J'aurais aimé briser le monde avec un objet lourd et
nouveau... Ma présence agite les arbres... À quoi bon,
les cœurs bien faits.

DU MÊME AUTEUR

Scrap-book, poésie, Cul-Q, 1974

Frankenstein fracturé, poésie, Cul-Q, 1975

Jardin comestible, récit, Cul-Q, 1978

Aux traces même de la panique, poésie, Atelier de l'Agneau (Belgique), 1981

O comme agression, récit, Les Herbes rouges, 1983

On croit trop que rien ne meurt, poésie, Écrits des Forges, 1992 (épuisé)

Ce que je suis devant personne, poésie, Écrits des Forges, 1994 (épuisé)

Les Quatre états du soleil, poésie, Écrits des Forges – Éditions PPP, 1994 (épuisé)

Transfigurations 1981-1989 (Faillite Sauvage, Transfigurations, Malgré la mort du monde, Deux amants au revolver, L'état de grâce), poésie, Les Herbes rouges, 1995

Les paysages de l'extase, poésie, Les Herbes rouges, 1997

La théorie des catastrophes, poésie, Les Herbes rouges, 2000

La nouvelle mystique des choses, poésie, Lèvres Urbaines #30, 1998

Lo que soy ante nadie (Ce que je suis devant personne), poésie, Écrits des Forges – Editorial Aldus – Universidad Nacional Autonoma de México, Serie El Puente, Mexique, 1999

Los cuatro estados del sol (Les quatre états du soleil), poésie, Écrits des Forges – Mantis Editores, Mexique, 2002

Sous la direction
de Louise Blouin et Bernard Pozier
supervisé à la production par
Suzanne Vertey
composé en Bodoni corps 11
cet ouvrage a été achevé d'imprimer
pour le compte de l'éditeur
Écrits des Forges
en novembre 2005
sur les presses de
AGMV Marquis Imprimeur Inc.

Imprimé au Québec